SUKEN NOTEBOOK

チャート式
解法と演習　数学Ⅲ

完成ノート

【関数，極限】

本書は，数研出版発行の参考書「チャート式 解法と演習　数学Ⅲ」の
第１章「関数」，　第２章「極限」
の例題と PRACTICE の全問を掲載した，書き込み式ノートです。
本書を仕上げていくことで，自然に実力を身につけることができます。

目　次

231001

1．分数関数・無理関数

基本 例題 1

次の関数のグラフをかけ。また，その定義域と値域を求めよ。

(1)　$y=\dfrac{3x+2}{x+1}$

(2)　$y=\dfrac{6x+7}{3x-1}$

PRACTICE (基本) **1**　次の関数のグラフをかけ。また，その定義域と値域を求めよ。

(1)　$y=\dfrac{2x-1}{x-2}$

(2)　$y=\dfrac{-2x-7}{x+3}$

(3)　$y=\dfrac{3x+1}{2x-4}$

基本 例題 2

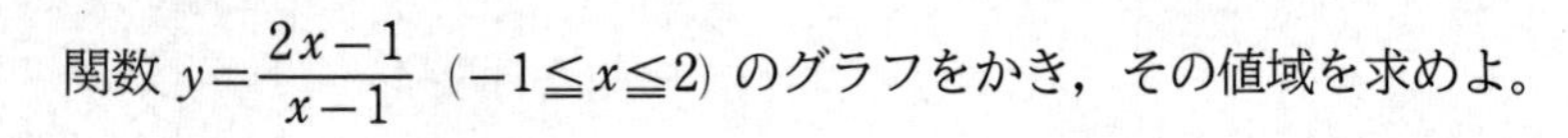
関数 $y=\dfrac{2x-1}{x-1}$ $(-1\leqq x\leqq 2)$ のグラフをかき，その値域を求めよ。

PRACTICE（基本）**2**　次の関数のグラフをかき，その値域を求めよ。

(1)　$y=\dfrac{-2x+7}{x-3}$　$(1\leqq x\leqq 4)$

(2)　$y=\dfrac{x}{x-2}$　$(-1\leqq x\leqq 1)$

(3) $y=\dfrac{3x-2}{x+1}$ $(-2<x<1)$

(4) $y=\dfrac{-3x+8}{x+2}$ $(-3<x<0)$

基本 例題 3

□ 

関数 $y=\dfrac{ax+b}{x+c}$ のグラフが 2 直線 $x=3$，$y=1$ を漸近線とし，更に点 $(2,\ 2)$ を通るとき，定数 a，b，c の値を求めよ。

PRACTICE (基本) **3**　$y=\dfrac{ax+b}{2x+c}$ のグラフが点 $(1,\ 2)$ を通り，2 直線 $x=2$，$y=1$ を漸近線とするとき，定数 a，b，c の値を求めよ。

基 本 例題 4

□ 

(1) 関数 $y=\dfrac{1}{x-2}$ のグラフと直線 $y=x$ の共有点の x 座標を求めよ。

(2) 不等式 (ア) $\dfrac{1}{x-2}>x$，(イ) $\dfrac{1}{x-2}\leqq x$ を解け。

PRACTICE (基本) **4**　関数 $f(x)=\dfrac{3-2x}{x-4}$ がある。方程式 $f(x)=x$ の解を求めよ。また，不等式 $f(x) \leqq x$ を解け。

基本 例題 5

□ 解説動画

次の方程式，不等式を解け。

(1) $\dfrac{2}{x(x+2)}-\dfrac{x}{2(x+2)}=0$

(2) $x<\dfrac{2}{x-1}$

PRACTICE (基本) 5　次の方程式，不等式を解け。

(1)　$2-\dfrac{6}{x^2-9}=\dfrac{1}{x+3}$

(2)　$\dfrac{5x-8}{x-2}\leqq x+2$

基本 例題6

□ 

(1) 関数 $y=\sqrt{3-x}$ のグラフをかけ。また，その定義域と値域を求めよ。

(2) 関数 $y=\sqrt{2x+4}+1$ $(-1<x\leqq 1)$ のグラフをかき，その値域を求めよ。

PRACTICE (基本) **6**　(1)　次の関数のグラフをかけ。また，その定義域と値域を求めよ。

(ア)　$y=-\sqrt{2(x+1)}$

(イ)　$y=\sqrt{3x+6}$

(2)　関数 $y=\sqrt{4-2x}+1$ $(-1\leqq x<1)$ のグラフをかき，その値域を求めよ。

基本 例題 7

□ 解説動画

(1) 関数 $y=\sqrt{x+6}$ のグラフと直線 $y=x$ の共有点の x 座標を求めよ。

(2) 不等式 $\sqrt{x+6}>x$ を解け。

PRACTICE (基本) **7** (1) 関数 $y=\sqrt{4-x}$ のグラフと直線 $y=x-2$ の共有点の x 座標を求めよ。

(2)　不等式 $\sqrt{4-x}>x-2$ を解け。

基本 例題 8

次の方程式，不等式を解け。

(1)　$\sqrt{10-x^2}=x+2$

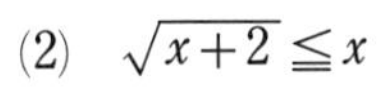

(2)　$\sqrt{x+2}\leqq x$

(3)　$\sqrt{2x+6}>x+1$

PRACTICE (基本) **8**　次の方程式，不等式を解け。

(1)　$2-x=\sqrt{16-x^2}$

(2)　$\sqrt{x+3}=|2x|$

(3) $\sqrt{x} \leqq 6-x$

(4) $\sqrt{10-x^2} > x+2$

重 要 例題 9

□ 

方程式 $2\sqrt{x-1}=\frac{1}{2}x+k$ が異なる 2 つの実数解をもつように，実数 k の値の範囲を定めよ。

PRACTICE（重要）**9**　方程式 $\sqrt{x+1}-x-k=0$ を満たす実数解の個数が最も多くなるように，実数 k の値の範囲を定めよ。

２．逆関数と合成関数

基本 例題 10

□ 解説動画

次の関数の逆関数を求めよ。また，そのグラフをかけ。

(1)　$y=\log_3 x$

(2)　$y=\dfrac{2x-1}{x+1}$　$(x \geqq 0)$

PRACTICE（基本）**10**　次の関数の逆関数を求め，そのグラフをかけ。

(1)　$y=2^{x+1}$

(2) $y=\dfrac{x-2}{x+2}$ $(x \geqq 0)$

(3) $y=-\dfrac{1}{4}x+1$ $(0 \leqq x \leqq 4)$

(4) $y=x^2-2$ $(x \geqq 0)$

基本 例題 11

□ 

関数 $f(x)=2x+3$，$g(x)=-x^2+1$，$h(x)=\dfrac{1}{x-1}$ について，次の合成関数を求めよ。

(1) $(f\circ g)(x)$

(2) $(g\circ f)(x)$

(3) $((f\circ g)\circ h)(x)$

(4) $(f\circ(g\circ h))(x)$

PRACTICE (基本) 11

関数 $f(x)=1-2x$，$g(x)=\dfrac{1}{1-x}$，$h(x)=x(1-x)$ について，次の合成関数を求めよ。

(1)　$(f\circ g)(x)$

(2)　$(g\circ h)(x)$

(3)　$(f\circ h\circ g)(x)$

重 要 例題 12

□ 解説動画

関数 $y=\dfrac{x+4}{2x+p}$ $(p\neq 8)$ の逆関数がもとの関数と一致するとき，定数 p の値を求めよ。

PRACTICE (重要) **12**　関数 $y=\dfrac{ax-a+3}{x+2}$ $(a \fallingdotseq 1)$ の逆関数がもとの関数と一致するとき，定数 a の値を求めよ。

3．数列の極限

基本 例題 13

第 n 項が次の式で表される数列の極限を求めよ。

(1) n^2-n

(2) $\dfrac{n+1}{3n^2-2}$

(3) $\dfrac{5n^2}{-2n^2+1}$

PRACTICE (基本) **13** 第 n 項が次の式で表される数列の極限を求めよ。

(1) n^2-3n^3

(2) $\dfrac{-2n+3}{4n-1}$

(3) $\dfrac{n^2-1}{n+1}$

(4) $\dfrac{4n^2+1}{3-4n^3}$

基本 例題 14 □ 

第 n 項が次の式で表される数列の極限を求めよ。

(1) $\dfrac{\sqrt{3n^2+1}}{\sqrt{n^2+1}+\sqrt{n}}$

(2) $\dfrac{1}{n-\sqrt{n^2+n}}$

(3) $\sqrt{n-3}-\sqrt{n}$

PRACTICE (基本) **14** 第 n 項が次の式で表される数列の極限を求めよ。

(1) $\dfrac{4n-1}{2\sqrt{n}-1}$

(2) $\dfrac{1}{\sqrt{n^2+2n}-\sqrt{n^2-2n}}$

(3) $\sqrt{n}(\sqrt{n-3}-\sqrt{n})$

(4) $\dfrac{\sqrt{n+2}-\sqrt{n-2}}{\sqrt{n+1}-\sqrt{n-1}}$

(5) $\sqrt{n^2+2n+2}-\sqrt{n^2-n}$

(6) $n\left(\sqrt{4+\dfrac{1}{n}}-2\right)$

基本 例題 15

□ 

(1) 極限 $\lim_{n\to\infty}\frac{1}{n}\sin\frac{n\pi}{4}$ を求めよ。

(2) (ア) $h\geqq 0$ とする。n が正の整数のとき，二項定理を用いて不等式 $(1+h)^n\geqq 1+nh$ を証明せよ。

(イ) (ア) で示した不等式を用いて，$\lim_{n\to\infty}(1.001)^n=\infty$ を証明せよ。

PRACTICE (基本) **15** (1) 極限 $\lim_{n\to\infty}\frac{1}{n+1}\cos\frac{n\pi}{3}$ を求めよ。

(2) 二項定理を用いて，$\lim_{n\to\infty}\frac{(1+h)^n}{n}=\infty$ を証明せよ。ただし，h は正の定数とする。

基本 例題 16

□ 解説動画

第 n 項が次の式で表される数列の極限を求めよ。

(1) $\dfrac{3^{n+1}-2^{n+1}}{3^n}$

(2) $\dfrac{4+2^{2n}}{3^n-2^n}$

(3) 2^n-3^n

(4) $\dfrac{3^n}{(-2)^n+1}$

PRACTICE (基本) **16**　第 n 項が次の式で表される数列の極限を求めよ。

(1) $\dfrac{5^n-10^n}{3^{2n}}$

(2) $\dfrac{3^{n-1}+4^{n+1}}{3^n-4^n}$

(3) $\dfrac{3^{n+1}+5^{n+1}+7^{n+1}}{3^n+5^n+7^n}$

(4) $\dfrac{4^n-(-3)^n}{2^n+(-3)^n}$

基本 例題 17

□ 解説動画

次の数列が収束するような実数 x の値の範囲を求めよ。また，そのときの極限値を求めよ。

(1) $\{(2x-3)^n\}$

(2) $\{x(3-x^2)^{n-1}\}$

PRACTICE (基本) 17

次の数列が収束するような実数 x の値の範囲を求めよ。また，そのときの極限値を求めよ。

(1) (ア) $\{(5-2x)^n\}$

(イ) $\{(x^2+x-1)^n\}$

(2) $\{x(x^2-2x)^{n-1}\}$

基本 例題 18

$r \neq -1$ のとき，極限 $\lim_{n\to\infty} \dfrac{r^n - 1}{r^n + 1}$ を求めよ。

PRACTICE (基本) **18** (1) $r > -1$ のとき，極限 $\lim_{n\to\infty} \dfrac{r^n}{2 + r^{n+1}}$ を求めよ。

(2)　rは実数とするとき，極限$\lim_{n\to\infty}\dfrac{r^{2n+1}}{2+r^{2n}}$を求めよ。

基本 例題 19

次の条件によって定められる数列$\{a_n\}$の極限を求めよ。

$$a_1=1,\ a_{n+1}=\frac{2}{3}a_n+1$$

PRACTICE (基本) **19**　次の条件によって定められる数列 $\{a_n\}$ の極限を求めよ。

(1)　$a_1=1$，$a_{n+1}=-\frac{4}{5}a_n-\frac{18}{5}$

(2)　$a_1=1$，$a_{n+1}=\frac{3}{2}a_n+\frac{1}{2}$

重 要 例題 20 □ 

n を正の整数とする。また，$x \geqq 0$ とする。

(1) 不等式 $(1+x)^n \geqq 1+nx+\dfrac{n(n-1)}{2}x^2$ を用いて，$1+\sqrt{\dfrac{2}{n}} > n^{\frac{1}{n}}$ が成り立つことを証明せよ。

(2) $\displaystyle\lim_{n\to\infty} n^{\frac{1}{n}}$ の値を求めよ。

PRACTICE (重要) **20**　n は 4 以上の整数とする。

不等式 $(1+h)^n > 1 + nh + \frac{n(n-1)}{2}h^2 + \frac{n(n-1)(n-2)}{6}h^3$ $(h>0)$ を用いて，次の極限を求めよ。

(1)　$\lim_{n\to\infty} \frac{2^n}{n}$

(2)　$\lim_{n\to\infty} \frac{n^2}{2^n}$

重要 例題 21

□ 

$a_1=3$，$a_{n+1}=\dfrac{3a_n-4}{a_n-1}$ $(n \geqq 1)$ で定められる数列 $\{a_n\}$ について

(1)　$b_n=a_n-2$ とおくとき，b_{n+1} を b_n で表せ。

(2)　第 n 項 a_n を n の式で表せ。

(3)　$\{a_n\}$ の極限を求めよ。

PRACTICE (重要) **21**　$a_1=2$，$a_{n+1}=\dfrac{5a_n-6}{2a_n-3}$ $(n=1,\ 2,\ 3,\ \cdots\cdots)$ で定められる数列 $\{a_n\}$ について

(1)　$b_n=\dfrac{a_n-1}{a_n-3}$ とおくとき，数列 $\{b_n\}$ の一般項を求めよ。

(2)　一般項 a_n と極限 $\lim_{n\to\infty} a_n$ を求めよ。

重 要 例題 22

解説動画

$0 < a_1 < 3$，$a_{n+1} = 1 + \sqrt{1 + a_n}$ $(n = 1,\ 2,\ 3,\ \cdots\cdots)$ によって定められる数列 $\{a_n\}$ について，次の (1)，(2)，(3) を示せ。

(1) $0 < a_n < 3$

(2) $3 - a_{n+1} < \dfrac{1}{3}(3 - a_n)$

(3) $\lim_{n\to\infty} a_n = 3$

PRACTICE (重要) **22** $a_1 = a\ (0 < a < 1)$, $a_{n+1} = -\dfrac{1}{2}a_n{}^3 + \dfrac{3}{2}a_n$ $(n=1,\ 2,\ 3,\ \cdots\cdots)$ によって定められる数列 $\{a_n\}$ について，次の (1)，(2) を示せ。また，(3) を求めよ。

(1) $0 < a_n < 1$

(2) $r=\dfrac{1-a_2}{1-a_1}$ のとき $1-a_{n+1} \leqq r(1-a_n)$ $(n=1,\ 2,\ 3,\ \cdots\cdots)$

(3) $\lim\limits_{n \to \infty} a_n$

重要 例題 23

□ 

次の条件によって定められる数列 $\{a_n\}$ の極限を求めよ。

$$a_1=0,\ a_2=1,\ a_{n+2}=\frac{1}{4}(a_{n+1}+3a_n)\ (n=1,\ 2,\ 3,\ \cdots\cdots)$$

PRACTICE (重要) **23**　次の条件によって定められる数列 $\{a_n\}$ の極限を求めよ。

$$a_1=1,\ a_2=3,\ 4a_{n+2}=5a_{n+1}-a_n\ (n=1,\ 2,\ 3,\ \cdots\cdots)$$

重要 例題 24

□ 解説動画

図のような1辺の長さ a の正三角形ABCにおいて，頂点Aから辺BCに下ろした垂線の足を P_1 とする。P_1 から辺ABに下ろした垂線の足を Q_1，Q_1 から辺CAへの垂線の足を R_1，R_1 から辺BCへの垂線の足を P_2 とする。このような操作を繰り返すと，辺BC上に点 P_1，P_2，……，P_n，…… が定まる。
このとき，P_n が近づいていく点を求めよ。

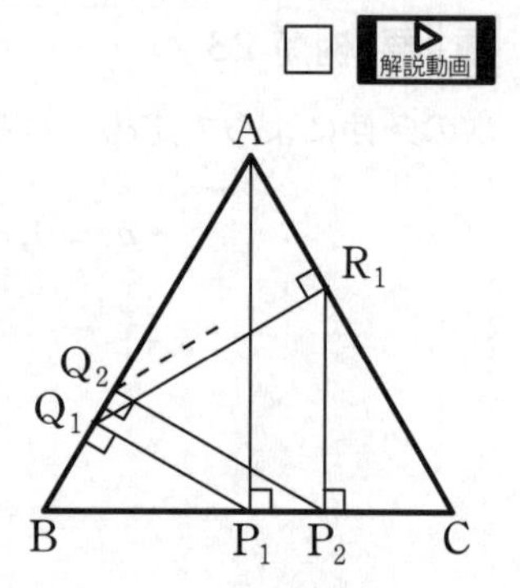

PRACTICE (重要) **24** 1辺の長さが1である正三角形ABCの辺BC上に点A_1をとる。A_1から辺ABに垂線A_1C_1を引き，点C_1から辺ACに垂線C_1B_1を引き，更に点B_1から辺BCに垂線B_1A_2を引く。これを繰り返し，辺BC上に点A_1，A_2，……，A_n，……，辺AB上に点C_1，C_2，……，C_n，……，辺AC上に点B_1，B_2，……，B_n，……をとる。
このとき，$BA_n=x_n$とする。

(1) x_n，x_{n+1}が満たす漸化式を求めよ。

(2) 極限$\lim_{n\to\infty} x_n$を求めよ。

重 要 例題 25

□ 

A の袋には赤球 1 個と黒球 3 個が，B の袋には黒球だけが 5 個入っている。それぞれの袋から同時に 1 個ずつ球を取り出して入れ替える操作を繰り返す。この操作を n 回繰り返した後に A の袋に赤球が入っている確率を a_n とする。

(1) a_n を求めよ。

(2) $\lim_{n\to\infty} a_n$ を求めよ。

PRACTICE (重要) **25**　三角形 ABC の頂点を移動する動点 P がある。移動の向きについては，$A \to B$，$B \to C$，$C \to A$ を正の向き，$A \to C$，$C \to B$，$B \to A$ を負の向きと呼ぶことにする。硬貨を投げて，表が出たら P はそのときの位置にとどまり，裏が出たときはもう 1 度硬貨を投げ，表なら正の向きに，裏なら負の向きに隣の頂点に移動する。この操作を 1 回のステップとする。動点 P は初め頂点 A にあるものとする。n 回目のステップの後に P が A にある確率を a_n とするとき，$\lim_{n\to\infty} a_n$ を求めよ。

4．無限級数

基本 例題 26

□ 

次の無限級数の収束，発散を調べ，収束するときはその和を求めよ。

(1) $\dfrac{1}{1\cdot4}+\dfrac{1}{4\cdot7}+\cdots\cdots+\dfrac{1}{(3n-2)(3n+1)}+\cdots\cdots$

(2) $\dfrac{1}{\sqrt{1}+\sqrt{3}}+\dfrac{1}{\sqrt{3}+\sqrt{5}}+\cdots\cdots+\dfrac{1}{\sqrt{2n-1}+\sqrt{2n+1}}+\cdots\cdots$

PRACTICE（基本）**26**　次の無限級数の収束，発散を調べ，収束するときはその和を求めよ。

(1)　$\dfrac{1}{3\cdot5}+\dfrac{1}{5\cdot7}+\cdots\cdots+\dfrac{1}{(2n+1)(2n+3)}+\cdots\cdots$

(2)　$\dfrac{1}{\sqrt{1}+\sqrt{4}}+\dfrac{1}{\sqrt{4}+\sqrt{7}}+\cdots\cdots+\dfrac{1}{\sqrt{3n-2}+\sqrt{3n+1}}+\cdots\cdots$

基本 例題 27

□ 

無限級数 $(x-4)+\dfrac{x(x-4)}{2x-4}+\dfrac{x^2(x-4)}{(2x-4)^2}+\cdots\cdots$ $(x \neq 2)$ について

(1) 無限級数が収束するときの実数 x の値の範囲を求めよ。

(2) 無限級数の和 $f(x)$ を求めよ。

PRACTICE (基本) **27**　無限級数 $x+\dfrac{x}{1+x}+\dfrac{x}{(1+x)^2}+\dfrac{x}{(1+x)^3}+\cdots\cdots\ (x \neq -1)$ について

(1)　無限級数が収束するような実数 x の値の範囲を求めよ。

(2)　無限級数の和を $f(x)$ として，関数 $y=f(x)$ のグラフをかけ。

基本 例題 28

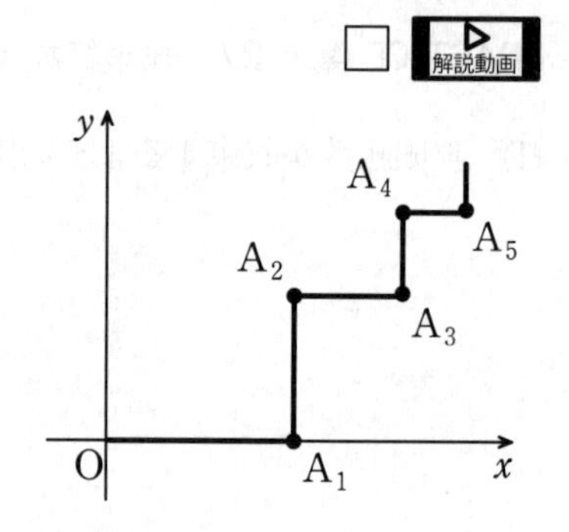

定数 a，r は $a>0$，$0<r<1$ とする。xy 平面上で原点 O から x 軸の正の向きに a だけ進んだ点を A_1，A_1 で左に直角に曲がり ar だけ進んだ点を A_2，A_2 で右に直角に曲がり ar^2 だけ進んだ点を A_3 とする。

このように OA_1，A_1A_2，A_2A_3，…… と方向を変えるたびに長さが r 倍となるように点 A_n を定めるとき，点 A_n が近づいていく点の座標を求めよ。

PRACTICE (基本) **28**　k を $0<k<1$ なる定数とする。xy 平面上で動点Pは原点Oを出発して，x 軸の正の向きに1だけ進み，次に y 軸の正の向きに k だけ進む。更に，x 軸の負の向きに k^2 だけ進み，次に y 軸の負の向きに k^3 だけ進む。以下このように方向を変え，方向を変えるたびに進む距離が k 倍される運動を限りなく続けるときの，点Pが近づいていく点の座標は［　　］である。

基本 例題 29

□ 解説動画

$\angle XOY\ [=60^\circ]$ の 2 辺 OX，OY に接する半径 1 の円の中心を O_1 とする。線分 OO_1 と円 O_1 との交点を中心とし，2 辺 OX，OY に接する円を O_2 とする。
以下，同じようにして，順に円 O_3，……，O_n，…… を作る。このとき，円 O_1，O_2，…… の面積の総和を求めよ。

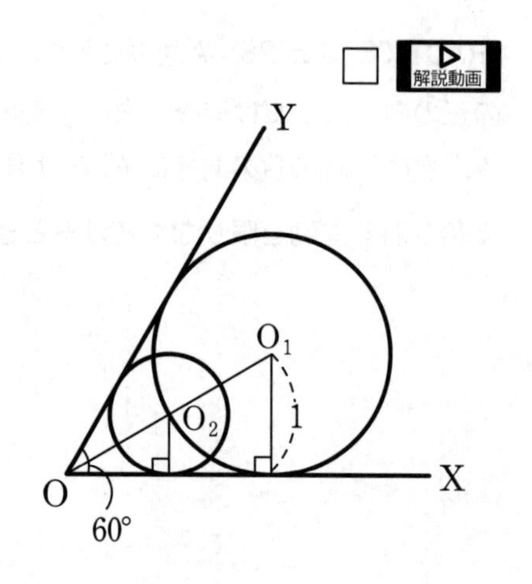

PRACTICE（基本）**29**　正方形 S_n，円 C_n（$n=1,\ 2,\ \cdots\cdots$）を次のように定める。C_n は S_n に内接し，S_{n+1} は C_n に内接する。S_1 の 1 辺の長さを a とするとき，円周の総和は［　　］である。

基本 例題 30 □ 

次の無限級数は発散することを示せ。

(1) $\frac{3}{2}+\frac{5}{4}+\frac{7}{6}+\frac{9}{8}+\cdots\cdots$

(2) $\cos\pi+\cos 2\pi+\cos 3\pi+\cdots\cdots$

PRACTICE (基本) **30** 次の無限級数は発散することを示せ。

(1) $1+\frac{2}{3}+\frac{3}{5}+\frac{4}{7}+\cdots\cdots$

(2)　$\sin\frac{\pi}{2}+\sin\frac{3}{2}\pi+\sin\frac{5}{2}\pi+\cdots\cdots$

基本 例題 31

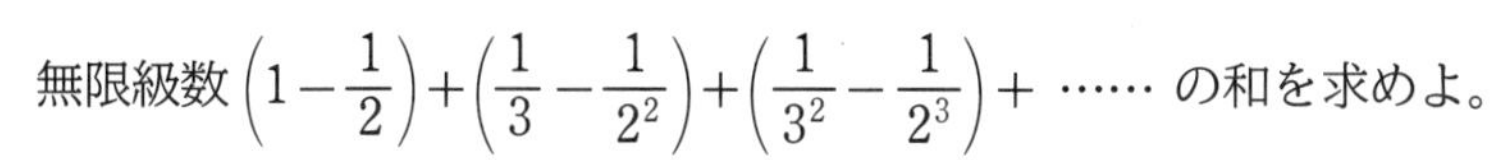

無限級数 $\left(1-\frac{1}{2}\right)+\left(\frac{1}{3}-\frac{1}{2^2}\right)+\left(\frac{1}{3^2}-\frac{1}{2^3}\right)+\cdots\cdots$ の和を求めよ。

PRACTICE (基本) **31**　次の無限級数の和を求めよ。

(1)　$\left(1+\dfrac{2}{3}\right)+\left(\dfrac{1}{3}+\dfrac{2^2}{3^2}\right)+\left(\dfrac{1}{3^2}+\dfrac{2^3}{3^3}\right)+\cdots\cdots$

(2)　$\dfrac{3^2-2}{4}+\dfrac{3^3-2^2}{4^2}+\dfrac{3^4-2^3}{4^3}+\cdots\cdots$

重 要 例題 32

□ 

無限級数 $1-\frac{1}{3}+\frac{1}{2}-\frac{1}{3^2}+\frac{1}{2^2}-\frac{1}{3^3}+\cdots\cdots$ の和を求めよ。

PRACTICE (重要) **32**　次の無限級数の和を求めよ。

(1)　$\dfrac{1}{2}+\dfrac{1}{3}+\dfrac{1}{2^2}+\dfrac{1}{3^2}+\dfrac{1}{2^3}+\dfrac{1}{3^3}+\cdots\cdots$

(2) $1+\frac{1}{2}+\frac{1}{3}+\frac{1}{4}+\frac{1}{9}+\frac{1}{8}+\frac{1}{27}+\cdots\cdots$

重 要 例題 33

□ 解説動画

面積 1 の正三角形 A_0 から始めて，図のように図形 A_1，A_2，…… を作る。ここで A_{n+1} は，A_n の各辺の三等分点を頂点にもつ正三角形を A_n の外側につけ加えてできる図形である。

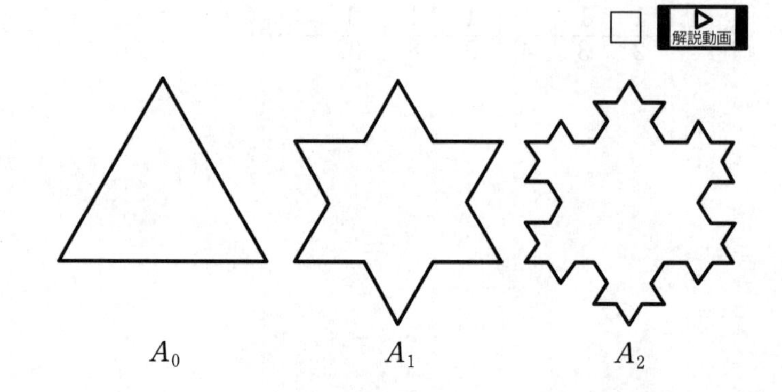

(1) 図形 A_n の辺の数を求めよ。

(2) 図形 A_n の面積を S_n とするとき，$\lim_{n\to\infty} S_n$ を求めよ。

PRACTICE (重要) **33**　二等辺三角形 ABC に図のように正方形 DEFG が内接している。AB＝AC＝a，BC＝2 とするとき

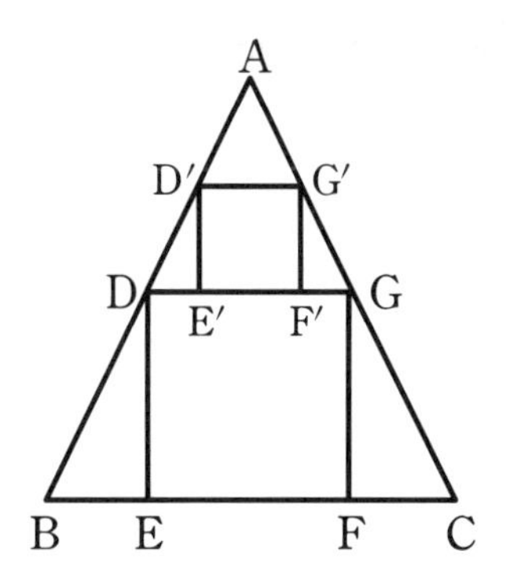

(1)　正方形 DEFG の面積 S_1 を求めよ。

(2)　二等辺三角形 ADG に内接する正方形 D′E′F′G′ の面積を S_2，二等辺三角形 AD′G′ に内接する正方形の面積を S_3，以下同様に正方形を作っていき，その面積を S_4，S_5，…… とする。このとき，無限級数 $S_1+S_2+S_3+S_4+S_5+\cdots\cdots$ の和 S_∞ を求めよ。

重 要 例題 34

□ 

次の (1), (2) が成り立つことを示せ。

(1) $\lim_{n \to \infty} \frac{n}{2^n} = 0$

(2) $\sum_{n=1}^{\infty} \frac{n}{2^n} = 2$

PRACTICE (重要) **34**　$0<x<1$ に対して，$\dfrac{1}{x}=1+h$ とおくと，$h>0$ である。二項定理を用いて，$\dfrac{1}{x^n}>\dfrac{n(n-1)}{2}h^2$ $(n \geqq 2)$ が示されるから，$\displaystyle\lim_{n\to\infty} nx^n=$ ア［　　］である。したがって，$S_n=1+2x+\cdots\cdots+nx^{n-1}$ とおくと，$\displaystyle\lim_{n\to\infty} S_n=$ イ［　　］である。

5．関数の極限

基本 例題 35

□ 

次の極限を求めよ。

(1) $\displaystyle\lim_{x\to-1}\frac{x^2-x-2}{x^3+1}$

(2) $\displaystyle\lim_{x\to0}\frac{1}{x}\left(\frac{2}{x-2}+1\right)$

(3) $\displaystyle\lim_{x\to0}\frac{\sqrt{1+x}-\sqrt{1-x}}{x}$

PRACTICE (基本) **35**　次の極限を求めよ。

(1) $\displaystyle\lim_{x\to -1}\frac{x^3+3x^2-2}{2x^2+x-1}$

(2) $\displaystyle\lim_{x\to 2}\frac{1}{x-2}\left(\frac{4}{x}-2\right)$

(3) $\displaystyle\lim_{x\to 1}\frac{x-1}{\sqrt{2+x}-\sqrt{4-x}}$

(4) $\lim_{x \to 1} \frac{\sqrt{3x+1}-2}{\sqrt{2x-1}-1}$

基本 例題 36

□ 

次の等式が成り立つように，定数 a，b の値を定めよ。

$$\lim_{x \to 3} \frac{\sqrt{3x+a}-b}{x-3}=\frac{3}{8}$$

PRACTICE (基本) **36**　次の等式が成り立つように，定数 a，b の値を定めよ。

(1)　$\displaystyle\lim_{x\to2}\frac{x^2+ax+12}{x^2-5x+6}=b$

(2)　$\displaystyle\lim_{x\to1}\frac{a\sqrt{x+5}-b}{x-1}=4$

基本 例題 37

□ 

次の場合の極限を調べよ。

(1)　$x \longrightarrow 2$ のときの $\dfrac{x-3}{x-2}$

(2)　$x \longrightarrow 0$ のときの $\dfrac{x}{|x|}$

PRACTICE（基本）**37**

次の関数について $x \longrightarrow 1-0$，$x \longrightarrow 1+0$，$x \longrightarrow 1$ のときの極限をそれぞれ調べよ。

(1) $\dfrac{x^2}{x-1}$

(2) $\dfrac{x}{(x-1)^2}$

(3) $\dfrac{|x-1|}{x^3-1}$

基本 例題 38

□ 解説動画

次の極限を求めよ。

(1) $\lim_{x\to\infty}(x^3-3x^2+5)$

(2) $\lim_{x\to-\infty}\frac{x^2+3x}{x-2}$

(3) $\lim_{x\to-\infty}\frac{2^{-x}}{3^x+3^{-x}}$

(4) $\lim_{x\to\infty}\{\log_3(9x^2+4)-\log_3(x^2+2x)\}$

PRACTICE (基本) **38**　次の極限を求めよ。

(1) $\lim_{x \to -\infty} (x^3 - 2x)$

(2) $\lim_{x \to \infty} \frac{5 - 2x^3}{3x + x^3}$

(3) $\lim_{x \to -\infty} \frac{4^x - 3^x}{4^x + 3^x}$

(4) $\lim_{x\to\infty}\{\log_2(x^2+5x)-\log_2(4x^2+1)\}$

基本 例題 39

□ ▷解説動画

次の極限を求めよ。

(1) $\lim_{x\to\infty}(\sqrt{x^2-2x}-x)$

(2) $\lim_{x\to-\infty}(\sqrt{9x^2+x}+3x)$

PRACTICE（基本）**39**　次の極限を求めよ。

(1)　$\lim_{x \to \infty}(\sqrt{x^2+2x}-\sqrt{x^2-1})$

(2)　$\lim_{x \to -\infty}(\sqrt{x^2+x+1}-\sqrt{x^2+1})$

基本 例題 40

□ 

次の極限を求めよ。ただし，$[x]$ は実数 x を超えない最大の整数を表す。

(1) $\displaystyle\lim_{x \to 0} x^3 \sin \frac{1}{x}$

(2) $\displaystyle\lim_{x \to \infty} \frac{[x]}{x}$

PRACTICE (基本) **40**　次の極限を求めよ。ただし，$[x]$ は実数 x を超えない最大の整数を表す。

(1)　$\displaystyle\lim_{x\to\infty}\frac{\cos x}{x}$

(2)　$\displaystyle\lim_{x\to\infty}\frac{x+[x]}{x+1}$

基本 例題 41

□ 

次の極限を求めよ。

(1) $\lim_{x \to 0} \frac{\sin 3x}{2x}$

(2) $\lim_{x \to 0} \frac{x \sin x}{1 - \cos x}$

(3) $\lim_{x \to \frac{\pi}{2}} \frac{\cos x}{2x - \pi}$

PRACTICE (基本) **41**　次の極限を求めよ。

(1)　$\lim_{x \to 0} \frac{1}{4x} \sin \frac{x}{5}$

(2)　$\lim_{x \to 0} \frac{x\sin 3x}{\sin^2 5x}$

(3)　$\lim_{x \to 0} \frac{\sin (x^2)}{1-\cos x}$

(4) $\lim_{x \to \pi} \frac{\sin(\sin x)}{\sin x}$

(5) $\lim_{x \to \frac{\pi}{4}} \frac{\sin x - \cos x}{x - \frac{\pi}{4}}$

(6) $\lim_{x \to 0} \frac{\sin x^\circ}{x}$

基本 例題 42

□ 

O を原点とする座標平面上に 2 点 A(2, 0), B(0, 1) がある。線分 AB 上に点 P をとり, $\angle \mathrm{AOP}=\theta\ \left(0<\theta<\dfrac{\pi}{2}\right)$ とするとき, 極限値 $\displaystyle\lim_{\theta \to +0} \frac{\mathrm{AP}}{\theta}$ を求めよ。

PRACTICE (基本) **42**　点 O を中心とし，長さ $2r$ の線分 AB を直径とする円の周上を動く点 P がある。△ABP の面積を S_1，扇形 OPB の面積を S_2 とするとき，次の問いに答えよ。

(1)　$\angle \mathrm{PAB}=\theta$ $\left(0<\theta<\dfrac{\pi}{2}\right)$ とするとき，S_1 と S_2 を求めよ。

(2)　P が B に限りなく近づくとき，$\dfrac{S_1}{S_2}$ の極限値を求めよ。

基本 例題 43 □ 解説動画

次の関数 $f(x)$ が，$x=0$ で連続であるか不連続であるかを調べよ。ただし，$[x]$ (ガウス記号) は実数 x を超えない最大の整数を表す。

(1) $f(x)=x^3$

(2) $f(x)=x^2\ (x \neq 0)$，$f(0)=1$

(3) $f(x)=[\cos x]$

PRACTICE (基本) **43**　次の関数 $f(x)$ が，連続であるか不連続であるかを調べよ。ただし，$[x]$ は実数 x を超えない最大の整数を表す。

(1)　$f(x)=\dfrac{x+1}{x^2-1}$

(2)　$f(x)=\log_2|x|$

(3) $f(x)=[\sin x]$ $(0 \leqq x \leqq 2\pi)$

基本 例題 44

□ 解説動画

(1)　方程式 $x^4-5x+2=0$ は，少なくとも 1 つの実数解をもつことを示せ。

(2)　方程式 $x-6\cos x=0$ は，$-\frac{2}{3}\pi<x<-\frac{\pi}{3}$，$-\frac{\pi}{3}<x<\pi$ の範囲に，それぞれ実数解をもつことを示せ。

PRACTICE（基本）**44**　(1)　方程式 $x^5-2x^4+3x^3-4x+5=0$ は実数解をもつことを示せ。

(2)　次の方程式は，与えられた区間に実数解をもつことを示せ。

（ア）　$\sin x=x-1$　$(0,\ \pi)$

（イ）　$20\log_{10}x-x=0$　$(1,\ 10)$，$(10,\ 100)$

重要 例題 45

□ 解説動画

x は実数とする。無限級数

$$x^2+x+\frac{x^2+x}{x^2+x+1}+\frac{x^2+x}{(x^2+x+1)^2}+\cdots\cdots+\frac{x^2+x}{(x^2+x+1)^{n-1}}+\cdots\cdots$$

について，次の問いに答えよ。

(1)　この無限級数が収束するような x の値の範囲を求めよ。

(2)　x が (1) の範囲にあるとき，この無限級数の和を $f(x)$ とする。関数 $y=f(x)$ のグラフをかき，その連続性について調べよ。

PRACTICE (重要) **45**　x は実数とする。次の無限級数が収束するとき，その和を $f(x)$ とする。関数 $y=f(x)$ のグラフをかき，その連続性について調べよ。

(1)　$x+\dfrac{x}{1+x}+\dfrac{x}{(1+x)^2}+\cdots\cdots+\dfrac{x}{(1+x)^{n-1}}+\cdots\cdots$

(2) $x^2+\dfrac{x^2}{1+2x^2}+\dfrac{x^2}{(1+2x^2)^2}+\cdots\cdots+\dfrac{x^2}{(1+2x^2)^{n-1}}+\cdots\cdots$

重 要 例題 46

□ 

(1) a は 0 でない定数とする。$x \geqq 0$ のとき，$f(x)=\lim_{n\to\infty}\dfrac{x^{2n+1}+(a-1)x^n-1}{x^{2n}-ax^n-1}$ を求めよ。

(2) 関数 $f(x)$ が $x \geqq 0$ において連続になるように，a の値を定めよ。

PRACTICE (重要) **46**　(1)　$f(x)=\lim_{n\to\infty}\dfrac{x^{2n}-x^{2n-1}+ax^2+bx}{x^{2n}+1}$ を求めよ。

(2)　上で定めた関数 $f(x)$ がすべての x について連続であるように，定数 a，b の値を定めよ。